afgeschre

FALLEN
ENGELEN IN
HET DONKER

LAUREN KATE

FALLEN
ENGELEN IN
HET DONKER

Uit het Engels vertaald door Mireille Vroege

Van Goor

TINDERBOX

ISBN 978 90 00 33770 5
NUR 285
© 2014 Van Goor
Uitgeverij Unieboek | Het Spectrum bv, postbus 97, 3990 DB Houten

oorspronkelijke titel *Fallen: Angels in the dark*
oorspronkelijke uitgave © 2014 by Tinderbox Books Group and Lauren Kate

Dit boek is ook leverbaar als ebook: ISBN 978 90 00 33771 2.

www.unieboekspectrum.nl
www.facebook.com/youngadultbocken

tekst Lauren Kate
vertaling Mireille Vroege
omslagontwerp Marieke Oele
zetwerk binnenwerk Mat-Zet bv, Soest

1

WAT ER MET TREVOR GEBEURDE

Luce bracht de motor voor het huis aan het meer tot stilstand.

Ze was verliefd. Op de motor: het was een goudkleurige Honda Shadow uit 1986, echt een plaatje.

Haar klasgenote, de gestoorde Rachel Allison, met haar roodgeverfde haar en foutloze Frans, was een paar kilometer ten noorden van hun school, de Dover Prepschool, opgegroeid en woonde daar ook nog steeds. Dus als de ouders van Rachel de stad uit waren, kwam bijna de hele klas – in ieder geval haar vriendenclub – steevast naar haar huis om feest te vieren.

Dit was voor Luce de eerste keer.

Toen haar dienst bij Pisani, een winkel in motoraccessoires, was afgelopen, las Luce de drie sms'jes die ze van Callie had gekregen: een met de routebeschrijving naar het feest, een om Luce te zeggen dat Callie haar zwarte teenslippers had geleend en een met een foto van Callie die aan boord van een van Rachels speedboten een Mai Tai zat te drinken.

Maar het bericht op de voicemail – nee, de stem op de achtergrond van het voicemailbericht van Callie – wist Luce ervan te overtuigen dat ze deze keer ook haar opwachting moest maken.

Het was Trevor Beckman, die zei: 'Zeg tegen Luce dat ze opschiet en snel hierheen komt.'

Hij was met afstand de coolste jongen van hun klas. De knapste ook. Trevor was aanvoerder van het basketbalteam, de populairste jongen van school en Luce' maatje bij biologie. Hij was ook al een tijd het vriendje van Rachel Allison.

En toch wilde hij dat Luce snel zou komen.

Luce was natuurlijk verliefd op Trevor. Wie niet? Hij was lang en sterk, lachte altijd, had donkerbruin haar in dezelfde kleur als zijn ogen – alles aan die jongen was om verliefd op te worden.

Maar het was het soort verliefdheid waar Luce nóóit echt iets mee zou doen. Ze zat niet achter jongens aan. Dat had ze ook nooit gedaan. Callie werd er gek van, maar Luce vond het prima om de gespierde Trevor van een afstandje te bewonderen. Naar dit feest gaan vond ze al een stuk moeilijker.

Ze zette de motor uit en sprong eraf voor iemand haar kon zien en zich zou afvragen waarvan ze in vredesnaam zo'n ding kon betalen.

Luce kón hem ook niet betalen. Ze had hem voor een avond te leen van de motorwinkel, waar ze de afgelopen zes semesters parttime had gewerkt, louter en alleen om de onvoorziene onkosten op haar school te kunnen betalen. Haar kost en inwoning werden betaald met de enige beurs die de school verstrekte, en dat was al gênant genoeg.

Om die beurs te kunnen behouden, was Luce drie jaar lang

een van de beste leerlingen geweest, met een acht gemiddeld. En ze had natuurlijk haar wekelijkse therapiesessies in Shady Pines voor iedereen op school verborgen moeten houden.

Als Joe, de zoon van meneer Pisani, geen roet in het eten had gegooid, was ze in die drie jaar waarschijnlijk nooit naar een van Rachels beroemde feesten gegaan. Joe was een paar jaar ouder dan zij. Hij was op een duistere manier sexy. Hij had altijd al een oogje op Luce gehad, vanaf het moment dat ze in de winkel was komen werken. Hij wist ook dat ze haar zinnen had gezet op de motor die hij van een schroothoop had doen herrijzen. Vlak voordat Luce die avond was weggegaan, had hij haar het sleuteltje in de hand gedrukt.

'Waar is dat voor?'

'Ik heb gehoord dat er vanavond een feest is,' zei hij met een glimlach. 'Dan heb je toch vervoer nodig naar het meer?'

Aanvankelijk had Luce haar hoofd geschud. Ze kon toch niet...

Maar toen bedacht ze dat ze over drie dagen het vliegtuig naar huis zou nemen om de zomer bij haar ouders in Thunderbolt, Georgia, door te brengen. Daar zou alles rustig, ontspannen en fijn zijn. En saai.

Drie maanden lang om je ontzettend te vervelen.

'Veel plezier.' Joe knipoogde naar Luce.

En ze reed weg. Het gevoel om op een motor te rijden, de wind die over haar gezicht woei, de snelheid, de algehele opwinding – het voelde allemaal vertrouwd, maar toch ook heel anders dan wat ook.

Het gaf haar het gevoel dat ze vloog.

Toen Luce de met tikifakkels verlichte drempel van het

feest overstak, zag ze Callie bij het water staan, met een kring van jongens om haar heen. Ze had een rood bikinibovenstukje aan, de teenslippers van Luce en ze had een lange, witte sarong om haar middel geknoopt.

'Hè, hè, eindelijk!' gilde ze toen ze Luce zag. Callies natte pijpenkrullen wipten op en neer terwijl ze lachte. Ze had waarschijnlijk net gezwommen; dat zag Luce zichzelf niet doen, in het koude zwarte meer. Callie was zo'n meisje dat nooit bang was en zich altijd wel wist te vermaken. Ze trok Luce dichter naar zich toe en fluisterde: 'Raad eens wie er net gigantische ruzie hebben gehad?'

Trevor kwam naar hen toe gelopen; hij had zijn basketbalshirt en een zwembroek aan en had een drankje in zijn hand. Een paar meter achter hem zagen ze het woedende gezicht van Rachel.

'Goed getimed,' zei hij met een glimlach tegen Luce. Hij sprak een beetje met dubbele tong.

'Trevor!' brulde Rachel. Zo te zien wilde ze niets liever dan achter hem aan gaan, maar ze bleef met haar handen in haar zij staan. 'Zo is het mooi geweest. Ik ga tegen de barkeeper zeggen dat hij je niks meer mag schenken.'

Trevor bleef pal voor Luce staan. 'Zullen wij gezellig samen naar de bar gaan?'

Callie gaf haar nog even een duwtje in haar rug en liep toen weg, waardoor Luce alleen achterbleef met Trevor Beckman.

Ze had haar viezige witte T-shirt en afgeknipte broek nog aan; misschien had ze zich toch even moet verkleden voordat ze hiernaartoe kwam. Luce trok aan het elastiekje waarmee de lange vlecht vastzat die ze altijd droeg als ze moest werken. Ze voelde dat Trevor naar haar donkere golvende haar keek, dat tot halverwege haar rug hing. 'Ja, ik wil wel iets drinken.'

Trevor glimlachte en ging haar voor naar de bar.

Midden op het gazon had Rachel haar gunstelingen om zich heen verzameld. Toen Luce met Trevor langsliep, hield Rachel haar hoofd schuin naar achteren en snoof. 'Het ruikt hier naar een benzinepomp. Wat is dat in vredesnaam?'

'Eau-de-Arbeidersklasse,' antwoordde Rachel nummer twee. Shawna Clip was net zo gemeen als Rachel, maar iets minder slim.

'Sorry,' zei Trevor, en hij trok Luce mee. 'Krengen zijn het.'

Luce' wangen werden warm. Rachels beledigingen deden haar niets, maar ze vond het gênant dat Trevor dacht dat het wel zo was. Hij keek haar even aan en loodste haar toen langs de bar. 'Bij nader inzien: Rachels vader heeft ook drank in de huisjes staan.' Hij grijnsde naar haar en gaf een knikje in de richting van het bos, waar het in maanlicht badende pad naar Lake Winnipesaukee liep. De tikifakkels gingen tot aan het pad, maar daarachter zag je alleen de grote zwarte bossen.

Luce aarzelde even. Een van de redenen dat ze nooit naar deze feestjes ging, was het bos. Voor alle anderen was het nachtelijk duister alleen maar leuk; het betekende dat ze eens lekker uit hun dak konden gaan.

Voor Luce betekende het dat de schaduwen tevoorschijn kwamen.

En daar was niks leuks aan.

Maar dit was de eerste keer dat ze met Trevor alleen was, zonder dat ze een scalpel in hun hand hadden en formaldehyde inademden. Dat ging ze niet verpesten door het rare meisje uit te hangen dat niet in de buurt van het bos wilde komen.

'Die kant op?' Luce slikte.

Hij wreef met zijn duim over haar wang. Ze rilde ervan. 'Zodra we op de open plek zijn is het niet donker meer, en tot die tijd houd ik je hand vast.'

Dat klonk goed, maar Luce zou Trevor nooit kunnen uitleggen waarom het toch niet genoeg was. Waarom ze het gevoel had dat ze zich in een nachtmerrie begaf waaruit ze misschien wel niet meer zou kunnen ontwaken. Als de schaduwen daar waren, zouden ze haar vinden. Ze zouden als zwarte lakens van ijs langs haar strijken. Maar dat kon ze hem natuurlijk niet vertellen.

Ze liepen verder en het donker omsloot hen. Luce voelde onheilspellende dingen in de bomen boven hun hoofd, hoorde zacht gezoef in de takken, maar bleef strak naar de grond kijken.

Tot er iets in haar schouder kneep. Iets kouds en scherps, waardoor ze opschrok – en zo in Trevors armen belandde.

'Niks om bang voor te zijn. Kijk maar.'

Trevor wilde haar omdraaien, maar Luce trok aan zijn hand. 'Laten we nou maar gewoon naar dat huisje gaan.'

Toen ze op de open plek aankwamen, was de maan gelukkig weer te zien. Voor hen stond een keurige rij huisjes.

Luce keek het bos in, maar ze kon de weg terug naar het feest niet zien. Ze meende de zoevende schaduw in de bomen weer te horen.

'Wie er het eerst is,' zei ze.

Ze renden naar het eerste huisje, Trevor vlak achter Luce aan. Bij de deur zakten ze allebei in elkaar. Ze lachten en waren buiten adem. Luce' hart ging tekeer van de inspanning en de angst – en van de zenuwen over wat ze hier deden, zo ver bij de anderen vandaan.

Trevor haalde een sleutel uit zijn zak.

De deur ging piepend open en ze liepen het lege, schone huisje in. Er was een open haard, een keukentje en een heel prominent aanwezig tweepersoonsbed. Een uur geleden had Luce nog niet kunnen denken dat ze alleen zou zijn in een huisje in het bos met de jongen op wie ze al drie jaar lang verliefd was. Dat soort dingen deed zij niet. Ze had nog nooit van haar leven zoiets gedaan.

Trevor liep naar de bar en schonk uit een beslagen fles iets bruins in een glas. Toen hij haar het halfvolle limonadeglaasje aanreikte, nam ze meteen een enorme slok. Wist zij veel.

'Wauw.' Hij moest lachen toen ze kokhalsde. 'Eindelijk iemand die net zo hard een borrel nodig heeft als ik.'

Als Luce niet op haar benen had staan tollen van het brandende gevoel in haar keel, had ze misschien moeten lachen en hem verbeterd; dan had ze gezegd dat het natuurlijk 'iemand die net zo hard een borrel nodig heeft als ík' moest zijn, want wat hij had gezegd, betekende dat zij net zo hard een borrel nodig had als dat ze... hém nodig had.

Hij pakte haar lege glas uit haar hand en sloeg een arm om haar middel, waarbij hij haar heel dicht tegen zich aan trok. Ze voelde zijn gespierde borstkas en de warmte van zijn huid.

'Tussen Rachel en mij gaat het helemaal niet goed.'

O god. Ze hoorde zich hier eigenlijk schuldig over te voelen, toch? Hij ging haar zoenen en zij ging hem ook zoenen, en dat zou betekenen dat ze haar eerste kus had gedeeld met iemand die een vriendin had. Een kreng van een vriendin, maar toch. Luce wist dat het niet goed ging tussen Trevor en Rachel, maar plotseling wist ze ook dat Trevor loog.

Híj wist namelijk niet dat het niet goed ging tussen Rachel en hem. Hij zei het alleen maar zodat zij met hem zou zoenen. Omdat hij waarschijnlijk wel wist dat ze verliefd op hem was. Omdat hij haar al die jaren waarschijnlijk talloze malen naar hem had zien kijken. Hij wist natuurlijk inmiddels best dat zij hem wilde.

Ja, ze wilde hem ook, maar tot nu toe was dat alleen maar een soort verre fantasie geweest. Nu hij zo dichtbij was, had ze geen idee wat ze met hem moest.

Nu hing zijn gezicht boven het hare, waren zijn lippen helemaal niet ver weg en zagen zijn ogen er heel anders uit dan op de foto in het jaarboek die Luce inmiddels heel goed kende.

Plotseling drong tot haar door dat ze Trevor helemaal niet zo goed kende.

Maar ze wilde wel. Ze wilde in elk geval weten hoe het voelde om gekust te worden, écht gekust, tegen een muur gedrukt en heftig gekust, tot ze er duizelig van was, tot ze zo vervuld was van hartstocht dat er geen ruimte meer was in haar hoofd voor gedachten aan schaduwen, donkere bossen of een bezoek aan het herstellingsoord.

'Luce? Gaat het?'

'Kus me,' fluisterde ze.

Het voelde niet helemaal goed, maar het was al te laat. Trevor deed zijn lippen uiteen en drukte ze op de hare. Ze deed haar mond open, maar vond het moeilijk om hem ook te kussen. Ze had het gevoel dat haar tong helemaal vastzat. Ze worstelde in zijn armen alsof ze droomde; ze probeerde zich niet tegen de kus te verzetten, maar die gewoon over zich heen te laten komen.

Trevor sloeg zijn armen om haar middel en trok haar mee naar het bed. Ze gingen zoenend op de rand zitten. Ze had haar ogen dicht, maar deed ze toen open. Trevor keek haar recht aan.

'Wat is er?' vroeg ze zenuwachtig.

'Niets. Je bent gewoon zo... mooi.'

Ze wist niet wat ze daarop moest zeggen, dus lachte ze maar.

Trevor begon haar weer te kussen, zijn lippen nat op haar mond en daarna in haar hals. Ze wachtte op de vonk, op het vuurwerk waar Callie haar over had verteld.

Maar alles aan het kussen was anders dan ze verwacht had. Ze wist niet goed wat ze voor Trevor voelde, wat ze vond van zijn tong tegen de hare, van zijn tastende handen. Maar hij wist er blijkbaar veel meer van dan zij. Ze probeerde zich over te geven.

Ze hoorde iets en maakte zich van Trevor los om de kamer in te kijken. 'Wat was dat?'

'Wat was wat?' vroeg Trevor, terwijl hij aan haar oorlelletje sabbelde.

Luce keek naar de houten wanden, zonder wat voor schilderijtjes of versiering dan ook. Ze bekeek de open haard, die

13

donker en roerloos was. Heel even meende ze iets te zien – een sintel, een flakkering van geel en rood –, maar toen was het weer weg.

'Weet je zeker dat we hier alleen zijn?' vroeg ze.

'Tuurlijk.' Trevor pakte de onderkant van haar shirt vast en trok het omhoog en over haar hoofd. Voor ze iets kon zeggen, zat ze in haar beha op de helblauwe sprei.

'Wauw,' zei Trevor. Hij hield zijn hand boven zijn ogen alsof hij pal in de zon keek.

'Wat is er?' Luce kreunde; ze voelde zich bleek en een beetje ongemakkelijk.

'Wat een licht opeens,' zei Trevor, terwijl hij met zijn ogen knipperde. 'Toch?'

Luce dacht wel te weten wat hij bedoelde. Alsof zich iets tussen hen in bevond wat de hele kamer verlichtte. Was dit de vonk waarop ze had gewacht? Ze voelde zich warm en vol leven, maar ook een beetje te bewust van haar lichaam. En van hoe weinig ze aanhad.

Dat gaf haar een ongemakkelijk gevoel. Toen hij weer naar haar toe boog, leek het of haar ingewanden in brand stonden, alsof ze iets heets had ingeslikt. Daarna werd het hele huisje warm en veel te licht. Ademhalen werd moeilijk en plotseling was ze ontzettend duizelig. Haar ogen brandden alsof het bloed in een noodgang uit haar hoofd wegstroomde. Ze zag niets meer.

Trevor pakte haar bij haar middel, maar ze trok zich van hem los. Ze hoorde weer geluiden en wist zeker dat er nog iemand in het huisje was, maar ze zag niemand. Ze hoorde alleen maar een aanzwellend kabaal, alsof er duizend zagen door duizend metalen platen heen gingen. Ze probeerde zich te bewegen, maar had het gevoel alsof ze geen kant op kon. Trevor hield haar stevig vast. Zijn armen drukten tegen haar ribbenkast tot ze dacht dat hij haar botten zou breken, tot ze zijn huid in haar vlees voelde branden, tot...

Tot hij weg was.

Iemand schudde aan Luce' schouders.

Het was Shawna Clip. Ze schreeuwde.

'Wat heb je gedaan, Lucinda?'

Luce knipperde met haar ogen en schudde haar hoofd. Ze zat buiten in de rokerige zwarte nacht. Haar keel brandde, haar huid voelde rauw en ze had het ijskoud.

'Waar is Trevor?' hoorde ze zichzelf mompelen. De wind woei door haar haar. Ze streek de losse slierten uit haar gezicht. Toen er een hele pluk dik zwart haar van haar hoofdhuid losliet, hapte ze naar adem. Wat ze in haar hand hield was broos en erg verschroeid. Ze gilde het uit.

Luce kwam wankel overeind. Ze sloeg haar armen over haar borst en keek om zich heen. Nog steeds de koele, donkere bossen, nog steeds het gevoel dat er zwarte schaduwen rondzweefden, nog steeds het keurige rijtje huisjes...

Het huisje stond in brand.

Het huisje waar ze net nog met Trevor geweest was... toch? Hoe ver waren ze gegaan? Wat was er gebeurd? Dat huisje was nu één vlammenzee. Het vuur begon net over te slaan naar de huisjes rechts ervan. De nacht rook naar zwavel.

Het laatste wat ze zich herinnerde was de kus...

'Wat heb je in godsnaam met mijn vriendje uitgespookt?'

Rachel. Ze kwam tussen Luce en de brandende huisjes in

staan, met een helrode kleur op haar wangen. Door hoe ze keek voelde Luce zich een moordenaar.

Ze deed haar mond open, maar er kwam niets uit.

Shawna wees naar Luce. 'Ik ben achter haar aan gegaan. Ik dacht dat ik ze wel zou betrappen terwijl ze aan het vozen waren, maar ze gingen naar binnen en toen... ging het hele huisje gewoon de lucht in!' Ze legde haar handen tegen haar gezicht en snikte.

Rachel draaide zich als gestoken om naar het huisje en haar gezicht en haar lichaam werden slap. Ze begon te jammeren. Het verschrikkelijke geluid steeg op in de nacht.

Pas toen besefte Luce met een gruwelijke beklemming in haar borst dat Trevor nog binnen was.

Op dat moment zakte het dak van het huisje in en spoot er een rookpluim naar buiten.

De huisjes ernaast hadden inmiddels ook vlam gevat, maar Luce voelde een reusachtige en genadeloze duisternis boven hen zweven. De schaduwen, die eerst niet verder kwamen dan het bos, kolkten nu pal boven hen rond. Ze waren zo dichtbij dat ze hen had kunnen aanraken. Zo dichtbij dat ze bijna kon verstaan wat ze fluisterden.

Het klonk als haar naam, Luce, maar dan duizend keer herhaald, om haar heen cirkelend en vervolgens eindeloos vervagend naar een duister verleden.

2

ARRIANES UITSTAPJE

'Opgepast! Uit de weg!'

Arriane reed met een grote, rode winkelwagen door het gangpad met huishoudelijke artikelen van de kringloopwinkel van het Leger des Heils in Savannah. Ze duwde de zware kar met haar magere armen voort. Ze had hem al volgeladen met twee gestippelde lampenkappen, genoeg prullige kussentjes om een hele bank mee te vullen, negen plastic halloweenlampions gevuld met snoep waarvan de uiterste verkoopdatum allang verstreken was, een stuk of vijf goedkope, bonte jurken, een paar schoenendozen vol bumperstickers en fluorescerende rolschaatsen. Arriane, die amper één meter vijftig lang was, zag dus bijna niet meer waar ze haar kar heen duwde.

'Opzij, schatjes, tenzij jullie je tenen niet meer nodig hebben. Ja, ik heb het tegen jou. Én tegen je peuter.'

'Arriane,' zei Roland kalm. Hij stond één gangpad verderop een melkkrat vol stoffige langspeelplaten door te kijken. Hij droeg zijn krijtstreepjasje los, zodat eronder een t-shirt van Pink Floyd te zien was. Zijn dikke dreadlocks hingen voor zijn donkere ogen. 'Jij weet wel hoe je zo min mogelijk moet opvallen, hè?'

'Hé!' riep Arriane beledigd uit terwijl ze haar winkelwagen in een haarspeldbocht manoeuvreerde en Rolands gangpad in reed. Ze bleef voor hem staan en prikte met een knalblauw gelakte nagel tegen zijn borst. 'Ik neem mijn werk hier heel serieus, vriend. We hebben twee dagen de tijd en daarin moeten we een heleboel spullen zien te verzamelen.'

Arriane leek zichzelf met deze woorden te herinneren aan iets wat haar plotseling heel blij maakte. Haar pastelblauwe ogen fonkelden en ze grijnste van oor tot oor. Ze pakte Rolands arm beet en schudde hem heen en weer, zodat haar lange zwarte haar losraakte uit haar rommelige knot. Het viel glinsterend tot op haar middel. 'Twee dagen! Twéé dagen! Lucy komt over twee dagen al terug!'

Roland grinnikte. 'Wat ben je toch schattig als je zo opgewonden bent.'

'Dan ben ik op dit moment vast de burgemeester van Schattigstein!' Arriane leunde tegen een stapel oude stereoapparatuur en slaakte een zuchtje van geluk. 'Voor mij is niets zo belangrijk als haar komst. Niet zo belangrijk als het voor Daniël is, natuurlijk. Maar ik voel wel degelijk een sprankje blijdschap bij het vooruitzicht dat ik haar weer zal zien.' Ze legde haar hoofd tegen Rolands schouder. 'Denk je dat ze veranderd zal zijn?'

Roland keek de kist met lp's weer door. Om de drie of vier platen gooide hij er een in Arrianes winkelwagen. 'Ze heeft een totaal ander leven geleid, Arri. Natuurlijk zal ze een beetje veranderd zijn.'

Arriane gooide de plaat van Sly and the Family Stone die ze had staan bekijken in de winkelwagen. 'Maar ze is nog steeds onze Lucinda, toch?'

'Dat lijkt wel het patroon te zijn, ja,' zei Roland, en hij keek Arriane aan zoals de meeste mensen haar aankeken – inclusief alle andere mensen in de kringloopwinkel –, maar Roland meestal niet. 'Zo is het de afgelopen paar duizend jaar in elk geval gegaan. Dat hoef je toch niet eens te vragen?'

'Kweenie.' Arriane haalde haar schouders op. 'Ik kwam op de administratie in Zwaard & Kruis juffrouw Sophia tegen. Ze liep met dozen vol dossiers te zeulen, terwijl ze iets mompelde over "voorbereidingen". Alsof alles helemaal tot in de puntjes geregeld moest zijn of zo. Ik wil niet dat Luce hier komt en dan teleurgesteld is. Misschien is ze deze keer wel echt veranderd. Je weet hoe ik over veranderingen denk.'

Ze keek in haar winkelwagen. Ze had de prullige kussens erin gegooid voor het geval deze Luce, net als de vorige Luce, zou opvrolijken van een wild kussengevecht, maar plotseling vond Arriane ze maar lelijk en kinderachtig. En de rolschaatsen? Zouden ze op een school voor leerlingen met gedragsproblemen ooit rolschaatsen gebruiken? Wat bezielde haar? Ze had zich laten meeslepen. Alweer.

Roland kneep Arriane in haar neus. 'Op het gevaar af dat ik banaal klink, zeg ik: wees gewoon jezelf. Luce houdt toch wel van je. Ze houdt altijd van je. En als niks anders werkt,' zei hij, terwijl hij de buit die Arriane in het wagentje had gegooid bekeek, 'heb je altijd je geheime wapen nog.' Hij hield het plastic zakje met rietjes met een papieren parapluutje eraan omhoog. 'Dan gooi je deze in de strijd.'

'Je hebt gelijk. Zoals gewoonlijk.' Arriane glimlachte en gaf Roland een klopje op zijn hoofd. 'Mijn *happy hours* zijn onovertroffen.' Ze legde haar arm om zijn middel en samen duwden ze de zware kar het gangpad door.

Ondertussen keek Roland op het boodschappenlijstje dat hij op zijn BlackBerry had gemaakt. 'We hebben feestmuziek. We hebben de versieringen voor jouw kamer, we hebben duct-tape...'

'Wat jij toch met al die duct-tape moet is een van de grote mysteriën van het universum.'

'Verder nog iets wat we hier nodig hebben voor we naar de delicatessenzaak gaan?'

Arriane trok haar neus op. 'Delicatessenzaak? Maar... Luce houdt van junkfood.'

'Sorry hoor, ik kan er ook niks aan doen,' zei Roland. 'Cam heeft gevraagd of ik wat kaviaar, een pond vijgen en nog een paar dingen voor hem wil halen.'

'Kaviaar? In de eerste plaats: gatverdamme. In de tweede plaats: wat moet Cam met kaviaar? Wacht eens even...'

Ze bleef midden in het gangpad staan, waardoor een andere vrouw met een winkelwagentje vol afgeprijsde kerstversiering van achteren tegen hen op botste. Arriane liet haar passeren en zei toen op fluistertoon: 'Cam probeert Luce toch niet weer te versieren, hè?'

Roland duwde het winkelwagentje verder. Hij kon heel goed voor stommetje spelen als dat moest, en daar werd Arriane altijd heel kwaad om.

'Roland!' Ze zette haar zwarte schoen tegen een wiel van het wagentje, zodat het niet verder kon rijden. 'Moet ik je aan de ramp van 1684 helpen herinneren? Om nog maar te zwijgen over de ellende die Cam in 1515 heeft veroorzaakt. Bovendien weet ik dat jij nog weet wat er gebeurd is toen hij met haar probeerde te flirten in het jaar elfhonderdtweeën...'

'Je weet ook dat ik me altijd afzijdig probeer te houden van alle dramatische toestanden.'

'Ja,' mompelde Arriane. 'En toch zit je er op de een of andere manier altijd middenin.'

Hij sloeg zijn ogen ten hemel en probeerde langs Arriane heen te manoeuvreren. Maar ze hield voet bij stuk. 'Het spijt me, maar Cam op de versiertoer is een nachtmerrie voor me. Ik zie hem veel liever met schuim om zijn mond grauwen, als de hellehond die hij in werkelijkheid is.' Arriane hijgde even als een hondsdolle hond, maar toen Roland er niet om moest lachen, sloeg ze haar armen over elkaar. 'Nu we het er toch over hebben wat voor regelrechte gruwel die favoriete metgezel van jou aan duistere gene zijde is: wanneer kom je weer bij ons terug, Ro?'

Roland haperde geen moment. 'Als ik vertrouwen heb in de goede zaak.'

'Oké, ouwe anarchist. Dus je bedoelt eigenlijk te zeggen: nooit?'

'Nee,' zei hij. 'Ik bedoel te zeggen: wacht maar af. We zullen gewoon moeten afwachten.'

Ze liepen langs het gangpad met tuinartikelen, waaronder een groene tuinslang die flink in de knoop zat, een stapel terracotta potten met scherfjes eraf, een paar gebruikte deurmatten en een oud model bladblazer. Maar bij de grote vaas met witzijden pioenrozen bleven Arriane en Roland allebei staan.

Arriane zuchtte. Ze werd niet graag al te sentimenteel – daar had je engelen als Gaby voor –, maar dit was een van de dingen aan Daniël en Luce die haar toch altijd raakten.

Minstens één keer per leven gaf Daniël Luce een reusachtige bos bloemen. Dat waren altijd witte pioenrozen. Vaste prik. Daar moest een verhaal achter gezeten hebben: waarom pioenrozen en geen tulpen of gladiolen? Waarom witte en geen rode of roze? Sommige andere engelen speculeerden erover, maar Arriane begreep wel dat ze het hoe en waarom achter deze traditie niet te weten zou komen. Ze wist niets van liefde, behalve dan wat ze bij Luce en Daniël zag, maar de ceremonie eromheen vond ze mooi. En ook dat Luce altijd meer geraakt leek door dit gebaar dan door alles wat Daniël verder deed.

Arriane en Roland keken elkaar aan. Het was net alsof ze hetzelfde dachten.

Of was dat ook zo?

Waarom had Roland een zenuwtrekje in zijn gezicht?

'Die moet je niet voor hem kopen, Arri.'

'Dat was ik ook niet van plan,' zei Arriane. 'Deze zijn nep. Daarmee doe je de betekenis van het gebaar volkomen teniet. We moeten échte hebben, heel grote en mooie, in een kristallen vaas met een lint erom, en alleen als het moment daar is. We weten nooit of dat snel zal zijn of niet. Het kan nog weken of maanden duren voor ze dat punt bereiken...' Ze bleef stokstijf staan en keek Roland sceptisch aan. 'Maar dit weet jij

allemaal al. Dus waarom zeg je dan dat ik ze niet moet kopen? Roland... wat weet jij dat ik niet weet?'

'Niks.' Weer die zenuwtrek.

'Roland Jebediah Sparks de Derde.'

'Níks.' Hij stak in een smekend gebaar zijn handen omhoog.

'Vertel op...'

'Ik heb niks te vertellen.'

'Wil je nog een keer indiaans prikkeldraad?' vroeg ze drei-
gend, en ze greep hem in zijn nek en voelde waar zijn schou-
derblad zat.

'Hou op,' zei Roland, en hij duwde haar van zich af. 'Jij
maakt je zorgen om Luce en ik maak me zorgen om Daniël.
Zo zijn de zaken verdeeld, zo is het altijd al geweest...'

'Lazer op met je verdeling,' zei ze, en ze zette een pruil-
mond op. Ze draaide zich om naar een winkelmedewerker.

Arriane was zo te zien echt gekwetst, en als Roland ergens
niet tegen kon, was het dat hij haar pijn deed. Hij zuchtte
lang en diep. 'Kijk, het punt is dat ik gewoon niet weet of Daniël deze keer weer op precies dezelfde manier te werk zal
gaan. Misschien wil hij die pioenen wel helemaal niet.'

'Hoezo niet?' vroeg Arriane, en Roland wilde al antwoord
geven, maar toen betrok haar gezicht en keek ze opeens ver-
drietig. Ze stak een hand op om hem het zwijgen op te leg-
gen. 'Daniël raakt uitgeput, hè?'

Arriane voelde zich zelden stom, maar nu wel, terwijl ze
daar zo midden in een kringloopwinkel stond met haar kar-
retje boordevol suffe aankleding en practical jokes. Niet dat
deze hele toestand een spel voor haar was, maar het was voor

hen allemaal wel anders dan voor Daniël.

Arriane moest aan Luce denken, die elk leven weer vertrok alsof ze gewoon naar zomerkamp ging, terwijl Arriane dan thuis moest blijven. Luce zou terugkomen. In de tussentijd zou het een saaie boel zijn zonder haar, maar ze kwam wel altijd terug.

Maar Daniël...

Zíjn hart werd gebroken. Waarschijnlijk elke keer iets erger. Hoe kon hij daartegen? Misschien kon hij er wel helemaal niet tegen, bedacht ze. En hij was in dit leven inderdaad veel somberder geweest dan anders. Had Daniëls straf dan eindelijk een punt bereikt waarop die niet alleen zijn hart brak, maar hem helemaal?

Stel nou dat het zo was? Het allerverdrietigste was dat het niet uitmaakte. Iedereen wist dat Daniël toch moest doorleven. Toch op Luce verliefd moest blijven worden. Net zoals zij, de anderen, moesten blijven toekijken en de tortelduifjes zachtjes naar hun onvermijdelijke climax toe moesten duwen.

Daniël kon er gewoon niets aan doen, dus waarom klampte hij zich niet aan de mooie, lieve en liefdevolle facetten van hun verhaal vast? Waarom gaf hij Luce die pioenrozen niet gewoon?

'Hij wil deze keer niet van haar gaan houden,' zei Roland uiteindelijk.

'Maar dat is godslastering.'

'Zo is Daniël,' zeiden ze allebei in koor.

'Oké, en wat moeten wij doen?' vroeg Arriane.

'Ons met onze eigen zaken bemoeien. De aardse goederen

die ze nodig hebben aanleveren wanneer ze die nodig hebben. En jij kunt voor de vrolijke noot zorgen.'

Arriane wierp hem een boze blik toe, maar Roland schudde zijn hoofd. 'Ik meen het.'

'Je meent het van die vrolijke noot?'

'Ik meen het in die zin dat je een rol te spelen hebt.'

Hij gooide haar een roze tutu toe uit de bak met opruimingsartikelen vlak naast de kassa. Arriane voelde aan de dikke tule. Ze dacht aan wat het voor hen allemaal zou betekenen als Daniël zich inderdaad tegen zijn liefde voor Luce zou verzetten. Als hij de cyclus op de een of andere manier doorbrak en ze niet samenkwamen. Dat bezorgde haar een heel zwaar gevoel vanbinnen, alsof haar hart naar haar voeten omlaag werd getrokken.

Een paar seconden later trok Arriane de tutu aan over haar spijkerbroek en danste ze pirouettes draaiend door de winkel. Ze botste tegen twee zusjes in precies dezelfde Hawaïaanse tentjurk op, knalde tegen een bord aan waarop nieuw beddengoed werd aangeprezen en stootte bijna een uitstalling van kaarsen omver, waarna Roland haar in zijn armen opving. Hij liet haar in het rond draaien, zodat de tutu vanuit haar wespentaille uitwaaierde.

'Je bent niet goed bij je hoofd,' zei hij.

'En dat vind jij maar al te leuk,' antwoordde Arriane duizelig.

'Inderdaad.' Hij glimlachte. 'Kom, we gaan betalen en dan zo snel mogelijk weg hier. We hebben nog van alles te doen voordat ze komt.'

Arriane knikte. Ze moesten nog heel veel regelen om ervoor te zorgen dat alles ging zoals het hoorde: Luce en Daniël die verliefd op elkaar werden. Terwijl iedereen om hen heen de hoop koesterde dat Luce het er op een dag, op wat voor manier dan ook, levend van af zou brengen.

3

DANIËL IN LA

Toen de zon onderging in de sloppenwijk van LA, werd er een stad van tenten opgezet. De een na de ander, totdat het er zoveel waren dat je met een auto de straat bijna niet meer door kwam. Er waren een paar gehavende nylon tenten bij, die uit een vrachtwagen van Walmart gejat waren. En de andere tenten waren gemaakt van niet veel meer dan een in een melkkrat vastgezette plank met een laken eroverheen. Daarin zaten hele gezinnen hutjemutje bij elkaar.

Verschoppelingen kwamen hier terecht omdat ze er konden slapen zonder dood te vriezen. En omdat de politie deze buurt als het donker was met rust liet. Daniël was hier terechtgekomen omdat je nu eenmaal gemakkelijk opging in een menigte van zevenduizend andere passanten.

En omdat een sloppenwijk wel de laatste plaats was waar hij Luce tegen het lijf dacht te zullen lopen.

Na het vorige leven had hij een plechtige belofte gedaan. Hij kon er niet meer tegen haar zo te moeten verliezen: in een vuurzee midden op een bevroren meer. Hij moest voorkomen dat ze ooit nog verliefd op hem werd. Ze verdiende het om van iemand te kunnen houden zonder daar met haar leven voor te moeten boeten. En misschien kon ze dat ook wel. Als Daniël maar bij haar uit de buurt bleef.

En dus sloeg hij zijn tent op aan de armoedigste straat van de Stad der Engelen. Dat had hij de afgelopen drie maanden elke avond gedaan, al sinds Luce dertien geworden moest zijn. Vier hele jaren voordat hij haar normaal gesproken tegenkwam. Zo vastbesloten was hij om hun cyclus te doorbreken.

De sloppenwijk was het eenzaamste en deprimerendste onderkomen dat Daniël in al die jaren had meegemaakt. Er viel ook niets romantisch aan te ontdekken. Overdag kon hij door de stad dwalen, en 's nachts had hij een tent die hij kon dichtritsen om de rest van de wereld buiten te sluiten. Zijn buren bemoeiden zich niet met hem. Op deze manier redde hij het wel.

De jacht op geluk had hij al lang geleden opgegeven. Ondeugende streken hadden hem nooit aangetrokken, in tegenstelling tot veel andere gevallen engelen. Nee, voorkomen was zijn laatste en enige doel: voorkomen dat Luce van hem ging houden, voorkomen dat ze hem in dit leven zelfs maar leerde kennen.

Hij vloog tegenwoordig nog zelden en dat miste hij. Zijn vleugels wilden zich spreiden. Zijn schouders jeukten bijna voortdurend, en de huid van zijn rug voelde onophoudelijk alsof die van de druk uit elkaar zou spatten. Maar hij was bang dat hij te veel de aandacht zou trekken als hij ze los zou maken, zelfs 's nachts, in het donker, als hij alleen was. Er was altijd wel iemand die hem in de gaten hield, en hij wilde niet dat Arriane of Roland, of zelfs Gaby, wist waar hij zich verscholen hield. Hij wilde helemaal geen gezelschap.

Maar zo nu en dan moest hij toch contact opnemen met een lid van de Weegschaal. Dat waren zeg maar de reclasseringsambtenaren van de gevallen engelen. In het begin was de Weegschaal veel belangrijker. Toen waren er meer engelen op aarde geweest die de Weegschaal in de gaten moest houden, en dus meer die terug naar hun meest innerlijke aard geleid moesten worden. Nu er nog maar zo weinig 'voor het grijpen' waren, hield de Weegschaal Daniël graag extra goed in het oog. Alle besprekingen die hij in de loop der jaren met ze had gevoerd, waren alleen maar enorme tijdverspilling geweest. Tot de vloek verbroken was, zou alles blijven zoals het was: in het ongewisse. Maar hij liep lang genoeg mee om te weten dat zij, als hij geen contact met hen zocht, naar hem toe zouden komen.

Aanvankelijk had hij gedacht dat het nieuwe meisje een van hen was. Maar toen bleek ze toch heel iemand anders te zijn.

'Hallo.'

Een stem voor zijn tent. Daniël ritste de voortent open en stak zijn hoofd naar buiten. De lucht was bij zonsondergang roze en nevelig. Het zou weer een warme nacht worden.

Het meisje stond voor hem. Ze had een afgeknipte broek aan en een versleten wit T-shirt. Haar blonde haar zat in een dikke knot boven op haar hoofd.

'Ik ben Shelby,' zei ze.

Daniël keek haar aan. 'Ja, en?'

'En jij bent de enige van mijn leeftijd hier. Of in elk geval de enige van mijn leeftijd die niet verderop crack staat te gebruiken.' Ze wees naar een stuk van de straat dat overging in een donker steegje waar Daniël zich nooit in had gewaagd. 'Ik dacht: ik kom mezelf even voorstellen.'

Daniël kneep zijn ogen tot spleetjes. Als zij van de Weegschaal was, had ze zich als zodanig bekend moeten maken. De leden kwamen in gewone kleding op aarde, maar vertelden de gevallenen altijd wie ze waren. Dat was een van de regels.

'Daniël,' zei hij toen maar. Hij kwam zijn tent niet uit.

'Goh, vriendelijk zeg,' mompelde ze zacht. Ze keek geërgerd, maar liep niet weg. Ze bleef gewoon naar hem staan kijken, ging van haar ene op haar andere been staan en trok aan de rafels van haar afgeknipte broek. 'Moet je horen, eh, Daniël, het klinkt misschien vreemd, maar er is vanavond een feest in de Valley en ik kan met iemand meerijden. Ik kwam vragen of je zin had om mee te gaan.' Ze haalde haar schouders op. 'Het wordt misschien wel leuk.'

Alles aan dit meisje leek net iets groter dan anders. Het vierkante gezicht, het hoge voorhoofd, de lichtbruine ogen met de groene vlekjes erin. Haar stem steeg boven al het kabaal van de straat uit. Ze was zo te zien stoer genoeg om het op straat te redden, maar ja, ze was ook langer dan de anderen. Bijna net zo lang als Daniël.

Tot zijn verbazing merkte hij dat hoe meer hij naar haar keek, hoe meer reden hij daarvoor had. Ze kwam hem ontzettend bekend voor. Dat moest hem zijn opgevallen tijdens de paar keer dat hij haar hiervoor had zien rondlopen. Maar pas nu wist hij aan wie Shelby hem deed denken. Op wie ze als twee druppels water leek.

Op Sem.

Voor de Val was Sem een van Daniëls grootste vertrouwelingen geweest. Een van zijn weinige echte vrienden. Semihazah was vroegrijp geweest en had boordevol meningen gezeten. Hij was ook eerlijk en ontzettend trouw. Toen de oorlog uitbrak en velen van hen de Hemel verlieten, had Daniël zijn handen vol gehad aan Luce. Van alle engelen begreep Sem Daniëls situatie nog het best.

Hij had een soortgelijk zwak voor de liefde.

De beeldschone, hedonistische Sem kon iedereen die hij ontmoette betoveren. Vooral het schone geslacht. Een tijdje leek het alsof Sem elke keer dat Daniël hem na de Val zag een ander sterfelijk meisje aan zijn vleugel had.

Maar niet de laatste keer dat ze elkaar gezien hadden. Dat was een paar jaar geleden. Daniël onthield de tijd aan de hand van de perioden waarin Luce leefde, dus herinnerde hij zich Sems bezoek als de zomer voordat zij naar de brugklas ging. Daniël zat toen in Quintana Roo, en opeens had Semihazah in z'n eentje voor zijn deur gestaan.

Een zakelijke aangelegenheid. Als bewijs droeg Sem het Weegschaal-insigne. Het gouden teken, bestaande uit het zevenpuntige litteken. Ze hadden Sem te pakken gekregen. Ze hadden een tijd achter hem aan gezeten en hij zei dat hij er op een gegeven moment gewoon genoeg van had gekregen. Kreeg Daniël er dan nooit genoeg van?

Het deed Daniël verdriet om zijn vriend zo... veranderd te zien. Het leek wel of alles aan hem kleiner was. Afmetingen volgens de voorschriften. Het vuur in hem was gedoofd.

Hun ontmoeting was stroef en gespannen verlopen. Ze hadden als vreemden met elkaar gesproken. Daniël herinnerde zich dat hij bijna kwaad was geweest dat Sem niet eens naar Luce had geïnformeerd. Toen Sem wegging, vloekte hij, en Daniël wist dat hij niet terug zou komen. Hij zou vragen of hij van deze zaak afgehaald kon worden. Hij zou om iemand vragen die gemakkelijker was.

Daniël had geaccepteerd dat hij zijn vriend misschien wel nooit meer zou zien. En dat was dan ook de reden waarom hij zo perplex was toen hij besefte wie het meisje was.

Voor hem in deze sloppenwijk stond een van de nakomelingen van Semihazah. Een dochter.

Ze moest een sterfelijke moeder hebben. Shelby was dus een Nephilijn.

Hij stond op om haar eens wat beter te kunnen bekijken. Ze verstijfde, maar deinsde niet achteruit toen hij plotseling zo vlak voor haar stond. Ze was een jaar of veertien. Knap, maar zo te zien nogal rebels. Net als haar vader. Wist ze eigenlijk wel wie – of wat – ze was? Toen Daniël haar zo aandachtig bekeek, liep ze rood aan.

'Eh... gaat het?' vroeg ze.

'Waar is dat feest?'

Ze zaten een uur vast in het verkeer, in een busje vol onbekenden. Ook al had Daniël geweten wat hij moest zeggen, hij had geen gesprek met Shelby kunnen voeren. Vertel eens over je vader, die je in de steek heeft gelaten. Dat leek hem geen goed begin. Toen ze eindelijk de heuvels over waren en in het uitgestrekte, vlakke dal reden, stopten ze voor een donker huis. Het zag er niet naar uit dat hier een feest was.

Daniël vertrouwde het niet helemaal. Hij was er al op verdacht geweest dat deze bijeenkomst niet zomaar iets voor stervelingen was en had opgelet of hij daar signalen van bespeurde. Hij was bang dat het doorgestoken kaart was. Hij zocht naar een teken dat Shelby tot een van de Nephilijnenkringen behoorde waar hij Roland over had horen vertellen. Daniël had daar nooit echt aandacht aan geschonken.

De voordeur zat niet op slot, dus Daniël liep achter Shelby aan naar binnen, die weer achter de rest van de inzittenden uit het busje aan liep. Dit was geen hemels genootschap. Nee, de mensen op dit feest zagen er levenloos uit.

Ze lagen uitgeteld op de bank en in hoopjes op de vloer, te vrijen of voor zich uit te kijken. Het enige licht in het vertrek was afkomstig van een koelkast, die openging als iemand er een biertje uit haalde. Het was muf en warm, en zo te ruiken lag er in de hoek iets te rotten.

Daniël wist niet waarom hij meegekomen was, wat hij hier deed, en daardoor verlangde hij des te meer naar Luce. Hij kon vanhier wegvliegen en nu meteen naar haar toe gaan! De tijd die ze samen doorbrachten was de enige tijd in heel Daniëls leven waarin hij snapte waarom hij op aarde was.

Tot zij in een flits doofde en alles weer donker werd.

Hij vergat de hele tijd wat hij zichzelf had voorgenomen. Dat hij deze keer bij haar uit de buurt zou blijven. Dat hij haar zou laten leven.

In de donkere, misselijkmakende woonkamer keek Daniël eens goed naar hoe het leven zonder haar was, en hij huiverde. Als er een uitweg was geweest, had hij die genomen. Maar die was er niet.

'Wat een ellende.' Shelby stond naast hem. Ze schreeuwde het boven de akelige, dissonante muziek uit, en toch kon Daniël alleen maar liplezen wat ze zei. Ze gaf een rukje met haar hoofd in de richting van de achterdeur. Daniël knikte en liep achter haar aan.

De achtertuin was klein en omheind, met verschroeid gras en zanderige stukken. Ze gingen op het betonnen richeltje zitten en Shelby trok een blikje bier open.

'Sorry dat ik je hier helemaal mee naartoe heb gesleept voor dit waardeloze optreden,' zei ze. Ze nam een slok en gaf het lauwe blikje aan Daniël.

'Ga je vaak met deze mensen om?'

'Nee, dit was de eerste en laatste keer,' zei ze. 'Mijn moeder en ik verhuizen vaak, dus ik krijg nooit echt de kans om lang met dezelfde mensen om te gaan.'

'Gelukkig maar,' zei Daniël. 'Ik bedoel: dit lijken mij niet de mensen met wie je zou moeten omgaan. Hoe oud ben je eigenlijk, veertien?'

Shelby snoof minachtend. 'Nou, bedankt voor het ongevraagde advies, papa, maar ik kan prima voor mezelf zorgen. Ik heb jaren ervaring.'

Daniël zette het biertje neer en keek omhoog naar de hemel. Een van de redenen waarom hij zo van LA hield, was dat je nooit echt de sterren kon zien. Maar op deze avond miste hij ze.

'Wat doen je ouders?' vroeg hij op een gegeven moment maar.

'Mijn moeder bedoelt het goed, maar ze werkt alleen maar. Als ze tenminste niet tussen twee banen in zit. Ze heeft er een handje van om ontslagen te worden. Dus verhuizen we de hele tijd en belooft ze ons voortdurend dat we ooit een "stabiel" leven zullen krijgen. Ik heb nogal wat aanpassingsproblemen gehad. Nou ja, dat is een lang verhaal...'

Shelby liet het daarbij, alsof ze vond dat ze al te veel gezegd had. Door de manier waarop ze Daniëls blik ontweek besefte hij dat ze in elk geval íéts over haar afstamming wist.

'Mijn moeder denkt dat ze de oplossing weet,' ging ze toen toch hoofdschuddend verder. 'Ze heeft een poepchique school uitgekozen. Over luchtkastelen gesproken.'

'En je vader?'

'Die heeft al vóór ik geboren werd de benen genomen. Fijne vent, toch?'

'Dat was hij vroeger wel, ja,' zei Daniël zacht.

'Hoe bedoel je?'

Op dat moment pakte Daniël Shelby's hand – hij wist ook niet waarom. Hij kende haar niet eens, maar voelde de behoefte om haar te beschermen. Ze was de dochter van Sem, en dat maakte haar vreemd genoeg bijna tot Daniëls nichtje. Ze keek verbaasd toen zijn vingers de hare omklemden, maar ze trok ze niet los.

Daniël wilde haar daar weghalen. Dit was geen omgeving voor een meisje als Shelby. Maar tegelijkertijd wist hij dat niet alleen dit feest of deze stad het probleem was. Shelby's hele leven was het probleem. Haar leven was een drama. En dat kwam door Sem.

Net zoals Luce' levens ook een drama waren, door Daniël.

Hij slikte moeizaam en onderdrukte opnieuw de aandrang om naar Luce toe te gaan. Hij hoorde hier niet, in deze omheinde achtertuin. Hij hoorde niet op deze warme avond, op dit stomme feest, met tot het einde der dagen niets om naar uit te zien.

Nu kneep Shelby in zijn hand. Toen hij haar in de ogen keek, stonden die anders. Groter. Zachter. Het leek wel of...

O-o...

Hij trok zijn hand los en stond snel op.

Shelby dacht dat hij haar probeerde te versieren.

'Waar ga je naartoe?' vroeg ze. 'Heb ik... heb ik iets verkeerd gedaan?'

'Nee,' verzuchtte hij. 'Ík heb iets verkeerd gedaan.'

Hij wilde het haar uitleggen, maar wist niet hoe. Hij keek strak naar de verbogen hordeur, waar een donkere schaduw een beetje wiebelde in de straffe warme wind.

Een Verkondiger.

Meestal negeerde Daniël ze gewoon. De afgelopen paar jaar kwamen ze steeds minder naar hem toe. Misschien had deze iets met Shelby te maken. Misschien kon hij het haar laten zien in plaats van naar de woorden te zoeken.

Hij knikte naar de Verkondiger en liet hem op zijn hand glijden. Even later had hij er een zwart vlak van gemanipuleerd.

Hij zag het beeld doorkomen. Luce. En hij wist ogenblikkelijk dat hij een grote fout had begaan. Zijn vleugels brandden en zijn hart deed pijn alsof het binnen in hem in stukjes brak. Hij wist niet waar of wanneer in de tijd hij haar zag, maar dat deed er niet toe. Hij moest zijn best doen om niet in het vlak te duiken en achter haar aan te gaan. Er rolde een traan over zijn wang.

'Wat heeft dit...' Shelby's geschrokken toon verstoorde Daniëls concentratie.

Maar voor Daniël iets kon zeggen, klonk er in de straat een sirene. Eerst werd de zijkant van het huis door een schijnwerper verlicht, en daarna het gazon in de achtertuin. De Verkondiger viel in Daniëls handen uiteen. Shelby krabbelde overeind. Ze keek Daniël aan alsof zojuist het kwartje was gevallen, maar ze niet wist hoe ze dat onder woorden moest brengen.

Toen vloog achter hen de hordeur open en een paar feestvierders stormden naar buiten.

'Politie,' fluisterde een van hen Shelby toe, en toen renden ze allemaal over het grasveld naar het hek toe. Ze hielpen elkaar eroverheen te klimmen, en weg waren ze.

Even later kwamen twee agenten langs de zijkant van het huis aangerend. Ze bleven voor Daniël en Shelby staan.

'Oké, jongens, jullie gaan met ons mee.'

Daniël sloeg zijn ogen ten hemel. Dit was niet de eerste keer dat hij gearresteerd werd. De keren dat hij in aanraking was gekomen met de politie varieerden altijd van een lichte irritatie tot belachelijke onzin. Maar Shelby liet zich niet zo vlot inrekenen.

'O ja?' schreeuwde ze. 'En waarom dan wel?'

'Inbraak en betreden van een onbewoonbaar verklaard pand. Drugsgebruik. Alcoholgebruik door minderjarigen. Ordeverstoring. En iemand heeft dat winkelwagentje bij Ralphs gestolen. Kies maar, liefje.'

Op het bureau zwaaide Daniël naar de twee agenten die hij kende en vulde twee bekertjes met heet bruin water uit de koffiemachine: een voor Shelby en een voor hemzelf. Het meisje zag er gespannen uit, maar Daniël wist dat ze zich niet echt druk hoefden te maken. Hij wilde net neervallen op de stoel voor het bureau waar een agent je informatie noteerde, je persoonlijke bezittingen in beslag nam en een politiefoto van je maakte, toen hij zag dat er iemand in de deuropening stond.

Sophia Bliss.

Ze had een mooi zwart mantelpakje aan en haar zilvergrijze haar zat in een strakke knot opgestoken. Ze liep naar hem toe en haar zwarte hakken tikten over de houten vloer. Ze nam Shelby vluchtig op, draaide zich toen om naar Daniël en glimlachte.

'Dag, jongen,' zei ze. Ze draaide zich om naar de agenten. 'Ik ben zijn reclasseringsambtenaar. Waarvoor is hij hier?'

De agent reikte haar zijn verslag aan. Juffrouw Sophia bekeek het snel en klakte met haar tong.

'Daniël, dat meen je niet: heb je een winkelwagentje gestolen? Terwijl je wist dat dit je laatste overtreding was voor de rechter je naar een heropvoedingsschool zou sturen? O, bespaar me dat gezicht,' zei ze, terwijl haar mondhoeken door een vreemde glimlach omhooggetrokken werden. 'Je vindt het vast leuk op Zwaard & Kruis. Heus.'

4

MILES IN DE DUISTERNIS

Het was nooit Miles' bedoeling geweest om een tweede Lucinda te laten afsplitsen.

Het ene moment was ze één enkel meisje in gevaar geweest – zijn vriendin, een mooi meisje met wie hij ook een keer had gezoend, maar daar ging het nu niet om – en een tel later waren Miles' ogen troebel geworden, was zijn hart tekeergegaan en voor hij wist wat hij deed, had hij een spiegelbeeld van Luce zo in de strijd met de Verschoppelingen geworpen. Had hij haar en zijn diepe gevoelens voor haar uit het niets opgeroepen.

Plotseling waren er twee Lucinda's geweest. Allebei adembenemend mooi als een sterrenhemel: donkere spijkerbroeken, donkere shirts, twee donkere haardossen. Op het moment dat Luce' spiegelbeeld met de Verschoppeling was weggevlogen, had er een heel duistere blik in haar ogen gestaan. En toen was het droombeeld met één afgeschoten zilveren pijl verdwenen. Miles kneep bij de herinnering eraan zijn eigen ogen stijf dicht.

Te snel daarna was zijn vriendin, de echte Luce, ook verdwenen.

O, wat was hij stom geweest! Hij moest voortdurend denken aan de stompzinnige woorden die hij tegen haar had gezegd, de eerste keer dat ze het over zijn zogenaamde talent hadden: 'Ze zeggen dat het gemakkelijk gaat met de mensen van wie je houdt, zeg maar.'

Zou Luce zich hun gesprek nog herinneren, die dag op het balkon van de Kustschool? Waren zijn woorden soms een van de redenen waarom ze zich helemaal in haar eentje in de Verkondiger had gestort?

Ze had niet eens omgekeken.

Nu gonsde het in de tuin van de engelen, vol van ongeloof. Miles en Shelby konden niet goed bevatten wat Luce net gedaan had, maar zij hadden haar al eerder Verkondigers zien openen. De engelen zagen er daarentegen uit alsof ze zo konden omvallen van de schrik.

Miles keek naar Luce' zogenaamde vriendje, terwijl die zijn eigen schrik verwerkte. Zijn stomme mond ging open en zonder iets te zeggen weer dicht. Daniël wist niet dat zijn vriendin het in zich had. Hij had geen idee waar zij allemaal toe in staat was.

Miles ging met zijn rug naar alle anderen toe staan en sloeg zijn armen over elkaar. Hij had er niets aan als hij nog bozer werd op Daniël Grigori. Luce was stapel op hem. Ze waren al een eeuwigheid verliefd op elkaar. Daar kon Miles niet tegenop.

Hij schopte maar wat tegen het dode gras, en zijn voet stootte ergens tegenaan. Het glinsterde in het donker.

Een vergeten sterrenschot.

Niemand keek. De engelen stonden op een kluitje bij elkaar te bakkeleien over hoe ze Lucinda moesten vinden.

Miles was wild, onrustig en helemaal uit zijn doen, maar plotseling griste hij het sterrenschot van de grond en stak het in de binnenzak van zijn bruine ribfluwelen jasje.

'Miles, wat dóé je?' Hij schrok op van Shelby's fluistertoon. 'Niks!'

'Mooi zo.' Ze wenkte hem vanachter de schuur, uit het zicht van de ruziënde engelen. 'Kom hier en help me met deze Verkondiger. Dat is me toch een lastpak...' De donkere schaduw vormde een plasje in haar handen. Hij reageerde totaal niet.

'Shelby!' fluisterde Miles terwijl hij naar haar toe holde. 'Waarom doe je dat?'

'Waarom denk je, sufkop?'

Miles zag hoe fel en vastberaden ze uit haar ogen keek en moest zachtjes lachen. Het lag niet aan de Verkondiger, het lag aan Shelby. Zij was heel slecht in doorstappen, maar ging nog liever dood dan dat ze dat ooit zou toegeven. Het was eigenlijk wel schattig.

'Wil je... wil je achter haar aan gaan?' vroeg hij.

'Duh,' zei ze. 'Doe je mee? Of durf je niet?' Ze keek Miles boos aan, slikte toen, sloeg een andere toon aan en pakte zijn hand. 'Laat me alsjeblieft niet alleen gaan.'

Miles pakte de Verkondiger uit Shelby's handen en trok hem met moeite in het donker uit elkaar. Al snel opende zich een inktzwart portaal, dat erg leek op het portaal waar Luce even daarvoor was doorgestapt.

'Ik ga met je mee,' zei hij en hij pakte Shelby's hand. Samen betraden ze de duisternis.

5

BIJ FRANCESCA OP KANTOOR

Francesca was van streek, maar ze wist niet goed waarom. Ze merkte het aan haar kortademigheid, aan de spanning in haar knieholten en aan de beginnende hoofdpijn achter haar ogen. Ze vond het vreselijk als ze van streek was, ze vond het vreselijk om niet alles onder controle te hebben. Maar dat had ze niet, en ze wist niet hoe dat kwam. In elk geval niet door die nieuwe leerling.

Toen Roland Sparks op de Kustschool arriveerde, verbaasde dat Francesca niet. Bijna alle gevallen engelen waren tijdens de dagen van de wapenstilstand aan het zwerven, dus het was een kwestie van tijd voordat een van hen Steven en haar om hulp kwam vragen.

Op dit moment zat Roland voor haar bureau, met een nadrukkelijk gesteven wit overhemd aan. Hij had zojuist Steven, die naast haar zat, ervan weten te overtuigen dat hij hem als toehoorder bij een aantal lessen voor Nephilijnen moest toelaten. Bespottelijk. Als Roland Lucinda wilde bespioneren, kon dat ook wel op een minder opvallende manier.

'Je moet andere kleren aan,' zei ze koeltjes tegen de gevallen engel – of, zoals hij eigenlijk genoemd moest worden, tegen de demon. 'Echte leerlingen van de Kustschool hebben nog nooit van een strijkplank gehoord. Laat staan van... Wat zijn dat?' Ze bukte zich om zijn schoenen te bekijken.

Het was bijna alsof hij haar met zijn glimlach wilde uitdagen. 'Ferragamo.'

'Ferragamo? Haal bij de winkel van het Leger des Heils, verderop in de straat, maar een sweatshirt en sneakers.' Ze sloeg haar blik neer en ordende doelloos haar papieren. Hoe lang ze ook al met Steven samenwoonde, demonen werkten haar altijd weer op de zenuwen.

'Francesca.' Steven draaide zich op zijn bureaustoel om en boog zich naar haar toe. 'Wil je het niet even hebben over wat er vandaag gebeurd is?'

'Waar zouden we het over moeten hebben?' vroeg ze. Ze zag weer de lijkbleke gezichten van haar beste leerlingen voor zich, toen Steven en zij hun een glimp hadden laten zien van hoe het er binnen in die donkere Verkondiger uitzag. Ze sloot haar ogen om het beeld weg te krijgen. 'We hadden er nooit aan moeten beginnen.'

'We hebben het risico genomen. We hebben pech gehad.' Steven legde een warme hand op de hare. Hij was altijd warm en zij altijd koud. Daardoor probeerde ze normaal gesproken, zodra ze daar de kans voor kreeg, altijd zo dicht mogelijk bij hem in de buurt te komen. Maar die dag bedrukte zijn warmte haar en zijn openlijke genegenheid waar Roland Sparks bij was gaf haar een ongemakkelijk gevoel. Francesca deinsde achteruit.

'Pech?' brieste ze. Ze voelde dat ze elk moment een tirade kon gaan afsteken over statistieken, veiligheid in de klas en over dat die Nephilijnen er nog helemaal niet klaar voor waren om het spel hard te spelen. Ze zou volkomen gelijk hebben, maar de drie mensen in haar werkkamer wisten heel goed dat ze met haar tirade probeerde te verdoezelen waar het hun die dag echt om ging. Wat de echte reden was waarom ze zo uit haar doen was.

Lucinda Price was er inderdaad klaar voor.

En dat joeg Francesca de stuipen op het lijf.

6

CAM GAAT JAGEN

Cam leunde achterover tegen de sequoia en liet een sigaret uit zijn zilveren koker glijden. Hij bevond zich aan de rand van het bos, net uit het zicht van het balkon van de Kustschool, waar de Nephilijnen weer met een of ander onzinnig leerproject bezig waren. Hij zou van hieraf de boel in de gaten houden. Hij kon haar beschermen zonder dat ze het zelf wist.

Achter Cam brak een tak, en hij draaide zich als gestoken om, met gebalde vuisten en de sigaret nog tussen zijn lippen. Interessant. Het was een van de vrouwen, alleen. Ze had zijn aanwezigheid aan de andere kant van de boom niet opgemerkt. Ze had haar zilveren boog nog niet eens gespannen.

'Heb je een vuurtje voor me, Verschoppeling?'

Het meisje knipperde met haar witte ogen, waardoor Cam misselijk werd en bijna medelijden met haar kreeg. Bijna.

'De Verschoppelingen spelen niet met vuur,' zei ze met holle stem. Haar bleke vingers gingen naar de binnenzak van haar lichtbruine trenchcoat.

'Ja, dat is altijd al het probleem met de Verschoppelingen geweest, hè?' Cam speelde het heel rustig. Er was geen enkele reden om haar schrik aan te jagen. Dan kwam het sterrenschot alleen maar eerder. Hij knipte met zijn vingers, waardoor er een vlammetje verscheen, en hield dat omhoog om de sigaret aan te steken.

'Je bent haar aan het bespioneren.' Het meisje wees met haar blonde hoofd naar boven, naar het balkon, waar Lucinda op een bankje zat. Ze zag er beeldschoon uit in een rozerode sweater en met haar net geblondeerde haar. Ze zat met een of andere bevriende Nephilijn te praten, op de open, vertrouwelijke manier waarop ze vroeger altijd met Cam praatte. Haar lichtbruine ogen stonden groot en om haar mond speelde dat oude verdriet. Cam kon wel de hele dag naar haar kijken.

Maar helaas, hij moest zijn aandacht weer richten op het levenloze wezen dat voor hem stond. 'Ik bescherm haar tegen wezens als jij,' beet hij haar toe. 'Dat is een verschil, schatje, al kun jij dat niet zien.'

Hij wierp nog één blik op Luce. Ze was opgestaan van het bankje. Ze liet haar blik afdwalen naar de balkontrap die te dicht bij Cams schuilplaats in het bos uitkwam. Wat deed ze? Hij verstijfde. Kwam ze nou naar hem toe?

Het sterrenschot zoefde door de lucht op een moment dat Cam er helemaal niet op verdacht was. Hij voelde het in de allerlaatste seconde en trok zijn hoofd nog net in, waarbij hij met zijn wang tegen de boomstam kwam en de schacht van de pijl met zijn leren handschoen opving. Hij beefde, maar hij wilde niet dat de Verschoppeling merkte dat de pijl hem op een haar na had gemist; die voldoening gunde hij haar niet. Hij stak de pijl in zijn zak.

'Die zou ik kunnen gebruiken om jou te doden,' zei hij op luchtige toon, 'maar dat zou zonde van zo'n prima sterren-schot zijn. En bovendien is het veel leuker om jullie Ver-schoppelingen in elkaar te slaan.'

Voor het meisje nog een pijl kon afschieten, stortte Cam zich op haar en greep haar bij haar paardenstaart. Hij raakte haar hard met zijn knie in haar buik, trok toen haar hoofd naar achteren en stompte haar van opzij tegen haar gezicht. Ze schreeuwde het uit en er brak iets – misschien haar neus-botje –, maar Cam bleef stompen, ook toen het bloed begon te stromen – uit haar neus, uit haar lip, helemaal over zijn vuist. Hij dwong zichzelf meteen om zich af te sluiten voor het meisjesachtige gejammer van de Verschoppeling, anders had hij nooit zo door kunnen gaan. De Verschoppelingen wa-ren geslachtloos, levenloos, waardeloos – maar ondanks dat alles vormden ze een bedreiging voor alles wat voor Cam be-langrijk was.

'Jij' – stomp – 'krijgt' – knietje – 'haar niet.' De Verschoppe-ling hoestte kokhalzend een van haar tanden op en sproeide bloed over Cams T-shirt.

'En dat uit de mond van iemand die nooit een schijn van kans gehad heeft.' Hij gaf haar weer een stomp, deze keer vol op haar oog. 'Maar ík wel. Heb je dat gehoord, Verschoppe-ling? Nu misschien niet meer, maar vroeger wel, vroeger had ik die kans wel.'

Verschoppelingen in elkaar slaan was gemakkelijk – veel te gemakkelijk. Het was een zinloze exercitie zoals wanneer je uit verveling een oud videospel gaat spelen waar je vroeger heel goed in was. Ze genazen namelijk zoals alle gevallenen, hoe-veel schade je ze ook toebracht.

Cam gaf nog één laatste schop tegen het hoofd van de Verschoppeling, waardoor ze kreunend op de grond viel. Ze kwam met haar gezicht in de rottende bladeren terecht. Daarna bewoog ze niet meer. Dus moest Cam de Verschoppeling overeind trekken en haar bebloede lichaam de kant op duwen waaruit ze gekomen was.

'Zeg maar tegen je vrienden dat jullie in dit bos niet welkom zijn!' schreeuwde hij haar na. Hij zag dat ze een Verkondiger opentrok en erin viel.

Hij ging weer tegen de sequoia zitten en nam een lange kalmerende trek van zijn sigaret. Net op dat moment kwam Lucinda de trap af.

7

LUCE' DROOM

Luce keek de stille grot rond en was verbaasd dat de engelen, demonen, Verschoppelingen en transeeuwigen allemaal al in slaap waren gevallen. Het laatste wat ze zich herinnerde was dat Dee had gezegd dat ze moesten wachten tot de maan precies op de goede plaats van de *Qayom Malak* stond en dat ze dan pas met de ceremonie van de drie relikwieën konden beginnen.

Hoe laat was het? Er vielen zonnestralen door de opening van de grot naar binnen.

Een warme hand kneep in haar schouder. Ze draaide zich om en haar haar streek langs Daniëls wang. 'Door een gelukkig toeval zijn we opeens alleen,' zei hij lachend.

'Kom, laten we hier weggaan,' fluisterde ze met een grijns.

Ze holden het pad af, hand in hand, lachend als kinderen. Toen ze een bocht om gingen en ze de eindeloze woestijn voor zich zagen liggen, tilde Daniël haar weer op.

'Ik kan niet van je afblijven.'

Luce kuste hem gretig en liet haar handen liefdevol langs

zijn grote witte vleugels gaan. Net als Daniël zelf waren die vleugels sterk, ontzagwekkend en werkelijk adembenemend mooi. Ze rimpelden van genot onder haar handen. Daniël huiverde en zuchtte diep.

'Wil je ergens naartoe vliegen?' vroeg hij.

Luce wilde altijd wel met Daniël in de lucht zijn. Ze grijnsde. 'Nou en of. Het maakt niet uit waarheen. Als ik maar bij jou ben.'

Hij tuurde in de verte.

'Wat is er?'

'Als het jou niet uitmaakt,' zei hij, 'wil ik eigenlijk wel op de grond blijven. Ik wil heel graag even vergeten wie we zijn. Laten we gewoon een jongen en een meisje zijn, die samen iets leuks doen.'

Hij keek haar zenuwachtig aan, tot ze zijn vleugel losliet en zijn hand vastpakte.

'Ik begrijp wat je bedoelt. Dat wil ik ook heel graag.'

Daniël keek dankbaar en rolde zijn schouders naar voren, zodat zijn reusachtige vleugels weer naar binnen trokken. Ze gleden langzaam en soepel terug, tot er niet meer van over was dan twee witte puntjes in zijn nek. Daarna waren ze helemaal verdwenen en was Daniël gewoon Daniël. Toen hij glimlachte, besefte Luce dat het heel lang geleden was dat ze hem zonder zijn vleugels had gezien.

'Het lijkt me leuk om met onze voeten op de grond te blijven,' zei ze, terwijl ze omlaagkeek naar haar eigen laarzen en naar de sneakers van Daniël, die allebei onder het woestijnstof zaten.

Daniël keek achterom naar de droge vlakte die onder hen

lag. 'Of anders een klein stukje boven de grond.'

'Hoe bedoel je?' Ze draaide zich om en ging op haar tenen staan om te zien waar hij naar keek.

'Heb je ooit op een kameel gereden?'

'Dat weet ik niet,' kaatste ze de bal terug. 'Zeg jij het maar.'

Ze noemden de kameel Woody, omdat hij leek op Woody Allen uit de jaren zeventig, met zijn rode, golvende, weerbarstige haar – ook al was hij ruim twee meter hoog en had hij twee bulten en twee scheve voortanden. Ze vonden hem in de uitlopers van de Sinaïberg, waar hij met twee minder leuke kamelen stond te grazen. Toen Daniël een hand tegen zijn flank legde, schopte en snoof Woody niet bij de onzichtbare aanraking; hij boog zich naar hen toe en snuffelde aan Luce' gezicht, dat hij niet kon zien, waardoor hij er schattig paranoïde uitzag.

'Deze wordt het,' zei Daniël.

'Maar we kunnen hem toch niet zomaar meenemen? Stel nou dat hij van iemand is?'

Daniël bracht zijn hand omhoog om zijn ogen af te schermen en tuurde uitgebreid de weidse zandvlakte langs. 'We lenen hem alleen voor een dagje.' Hij vlocht zijn vingers ineen en bukte zich, zodat Luce zijn handen als opstapje kon gebruiken. 'Kom, omhoog jij.'

Ze zwaaide lachend een been over de kameel en genoot van het gevoel waarmee ze op zijn rug tussen de bulten naar omlaag gleed.

'En hoe denk jij erop te komen, normale jongen?' vroeg ze.

Daniël tuurde naar de bult die zich bijna een halve meter boven zijn hoofd bevond en krabde aan zijn kin. 'Daar had ik niet aan gedacht.'

Hij vroeg of ze haar hand wilde uitsteken en trok zichzelf omhoog, maar daarbij verloor hij zijn evenwicht en kwam op zijn rug op de grond terecht.

'Een tijdelijke terugval,' bromde hij.

Voor de tweede poging liep hij naar de andere kant en probeerde zich omhoog te hijsen als een zwemmer die uit het diepe op de kant probeert te komen. Hij gleed uit en viel op zijn gezicht. Woody spoog.

'Oké,' riep Luce. Ze probeerde niet te lachen. 'Drie keer is scheepsrecht!'

Daniël bromde weer en toen hij haar hand pakte, zette Luce zich helemaal schrap om hem omhoog te trekken. Ze voelde dat zijn lichaam van de grond kwam en verbaasde zich erover dat hij zo licht aanvoelde in haar armen. Hij kwam achter haar neer, pal op de bult, in een spagaat, en brulde het uit van de pijn. Luce schaterde het uit.

Ze lachte zo hard dat ze zich moest verontschuldigen, maar dat viel nog niet mee midden in zo'n uitzinnige uitbarsting. Toen ze door de slappe lach bijna van de kameel viel, moest Daniël op zijn beurt ook lachen.

Toen ze eindelijk bedaard waren, draaide Luce zich om om naar Daniël te kijken. Ze ging met een vinger over zijn lippen. 'Het voelt toch nog alsof we vliegen.'

'Dat doen we waarschijnlijk ook.' Daniël kuste haar vinger, toen haar lippen en zonder tussendoor naar lucht te happen spoorde hij Woody zachtjes aan om hem in beweging te krijgen.

Woody was geen volbloed. Ze kuierden over de vlakte met ergens vaag de hoop dat ze bij de zee zouden aankomen. Dat leek niet erg waarschijnlijk, maar dat maakte ook niet uit. Luce vond deze uitgestrekte vlakte met bruin zand de mooiste plek op aarde.

Ze reden in stilte verder, maar toen schoot Luce iets te binnen. 'Ik geloof niet dat ik ooit op een kameel gezeten heb.'

'Nee.' Ze hoorde de glimlach in zijn stem sluipen. 'Dat klopt. In elk geval niet wanneer ik erbij was. Heb je dat uit de herinneringen aan je verleden kunnen opmaken?'

'Ik denk het. Vreemd, want ik heb ernaar gezocht, maar de laatste tijd voel ik een soort warmte als mijn gedachten om een herinnering heen cirkelen en daarin iets aantreffen wat ik al eens eerder gedaan heb.' Ze haalde haar schouders op. 'En aangezien ik deze keer niets voelde, ging ik ervan uit dat ik dit nog nooit eerder had gedaan.'

'Ik ben onder de indruk,' zei Daniël. 'Waarom vertel je mij niet eens iets, voor de verandering? Vertel eens over de tijd dat je in Dover op school zat.'

'In Dover?' Daar stond ze van te kijken. Ze sprak liever over een van de andere vroegere levens waaraan ze in de Verkondigers een bezoek had gebracht dan over haar ervaringen op de school in Dover.

Ze kwamen langs een kale boomstam die eruitzag alsof er al in geen eeuwen meer een blad aan had gezeten. Ze kwamen langs een drooggevallen rivier en een landweggetje dat nergens naartoe leidde. Er was nergens iemand te bekennen die haar kon veroordelen. Alleen Daniël.

'Dat waren drie oersaaie jaren, gevolgd door een ramp waarbij een jongen die ik kende om het leven is gekomen,' zei ze toen maar. 'Ik denk er liever niet meer aan, want ik...'

'De dood van Trevor was niet jouw schuld.'

Ze draaide zich om, zodat ze hem kon aankijken. 'Hoe weet jij dat?'

'Iemand anders zat erachter. Iemand die wist dat jij je vreselijk schuldig zou voelen over die brand, en die ook wílde dat je je schuldig zou voelen. Iemand die wilde dat jij zou geloven dat wat er binnen in jou gebeurt als je om iemand geeft altijd een dodelijke afloop krijgt.'

'Wie doet nou zoiets?' fluisterde Luce.

'Iemand die wilde dat jij nooit verliefd zou worden. Iemand die jaloers is op wat jij en ik voor elkaar voelen.'

'Door die jaloezie is iemand om het leven gekomen, Daniël. Een onschuldige jongen die niets met de vloek van onze liefde te maken had.'

'Ik wist niet dat het zou gebeuren. Ik zou er een stokje voor gestoken hebben. Het spijt me, Luce. Ik weet dat je het zwaar hebt gehad.'

Luce wreef over haar voorhoofd. 'Wil je nou beweren dat degene die achter de dood van Trevor zat dat heeft gedaan om te voorkomen dat ik verliefd zou worden op jou?'

'Ja.'

'Het heeft alleen niet gewerkt.'

'Nee,' zei Daniël, 'het heeft niet gewerkt.'

'Door de vloek? We zijn toch bij elkaar gekomen...'

'Geen vloek is sterker dan onze liefde.'

Ze beklommen nog een berg, en nog een. De zon geselde hun schouders. Ze lieten zich van Woody afglijden en liepen naar de rand van een klif. Het was griezelig steil, maar onder hen beukte de oceaan tegen de kust: een prachtige flits blauw na al dat bruin. Ze zouden nooit zonder te vliegen kunnen afdalen. Luce keek naar Daniël en Daniël keek naar Luce, en ze glimlachten, want ze wisten dat ze een pact hadden gesloten: gewoon iets leuks doen, zonder vleugels. Ze vonden het allebei prima.

'Kom hier zitten.' Daniël klopte op een vlak stuk rots aan de rand van het klif en gebaarde Luce dat ze naast hem moest komen zitten. Ze keken even naar de oceaan en zagen in de buurt van de horizon twee containerschepen. Het leken wel gletsjers.

'Het is net of de wereld vandaag van ons is, vind je niet?' zei Luce bedroefd.

Daniël draaide haar naar zich toe en raakte met de punt van zijn neus de hare aan. Hij maakte de knoopjes van haar jasje open, liet zijn hand onder haar shirtje glijden en streelde haar onderrug.

Hij kuste haar met een overgave zoals ze nog nooit eerder van hem had meegemaakt. Zijn aanraking was glad en zacht, en tegelijkertijd radeloos. Ze drukte haar mond op de zijne en hij pakte haar beet en tilde haar boven op zich. Met zijn vrije hand woelde hij door haar haar. Hun armen en benen lagen over elkaar, verwachtingsvol gespannen. Hun warme monden waren met elkaar verstrikt. Luce voelde zich duizelig en bruisend van het leven, alsof hun zielen zich met elkaar vervlochten hadden. Het werd haar bijna te veel. Het zou voor haar nooit genoeg zijn. Maar ze zou haar best doen.

'Ik hou van je, Daniël,' zei Luce tussen twee ademteugen door.

'Ik hou ook van jou,' antwoordde hij. 'Meer dan van wie ook. Meer dan...'

Boem.

Het klonk als een donderslag, als het aanzwellen van een duistere tornado. Luce schrok wakker in de grot, ze moest op Daniëls schouder in slaap zijn gevallen...